Lidia,
el hada de
lectura

A los amantes de la literatura de todo el mundo

Un agradecimiento especial a Rachel Elliot

Originally published in English as *Rainbow Magic: Lydia the Reading Fairy*

Translated by Karina Geada

ISBN 978-1-338-08216-6

10 9 8 7 6 5 4 3 2 1   16 17 18 19 20

Printed in the U.S.A.   40
First Scholastic Spanish printing 2016

Lidia,
el hada de lectura

Daisy Meadows

SCHOLASTIC INC.

Palacio del Reino
de las Hadas

Escuela del Reino
de las Hadas

Tippington

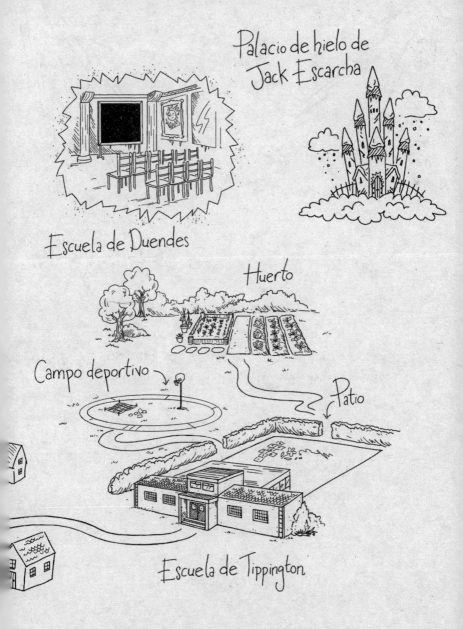

Palacio de hielo de Jack Escarcha

Escuela de Duendes

Huerto

Campo deportivo

Patio

Escuela de Tippington

Las hadas deben saber
que en la escuela hay que aprender
que yo, Jack Escarcha, soy famoso
por ser un científico fabuloso.

Las estrellas mágicas me ayudarán
y los duendes me obedecerán.
No me importa si las hadas lloran,
¡porque mis estudiantes me adoran!

Índice

Libros al revés

—Me encanta el olor de las bibliotecas, ¿a ti no? —preguntó Cristina Tate, respirando profundo y mirando las estanterías de la biblioteca de la escuela de Tippington.

Su mejor amiga, Raquel Walker, sonrió.

—Lo que me gusta es que estés en la escuela conmigo —respondió Raquel—. ¡Ojalá fuera por más de una semana!

Aunque solo era el tercer día, Raquel

podía asegurar que este sería el curso escolar más divertido y emocionante de su vida. Tenía un montón de amigos en Tippington, pero ninguno era tan especial como su amiga Cristina, que vivía en Wetherbury. A cada rato deseaba estar en su misma escuela. Por eso, cuando la escuela de Cristina se inundó por las lluvias al final del verano y anunciaron que tardarían una semana en arreglarla, Raquel supo que los primeros cinco días de clases serían espectaculares porque su mejor amiga estaría con ella en su misma escuela.

—¡Parece que va a ser una semana intensa! —respondió Cristina con una sonrisa.

Raquel sabía que su amiga se refería al secreto que compartían. Desde que se conocieron en la isla Lluvia Mágica, las chicas eran amigas de las hadas y, a pesar de que de vez en cuando tenían aventuras fantásticas, siempre era emocionante conocer a nuevas hadas. ¡Y en el primer día del curso escolar habían conocido a las hadas de la escuela!

—¿Crees que hoy vamos a ver a alguna de las hadas? —susurró Cristina.

Antes de que Raquel pudiera responder, el profesor dio unas palmadas para llamar la atención de los estudiantes.

—Quiero que cada uno escoja un

libro —dijo el Sr. Beaker—, y que luego escriban una breve reseña sobre lo que han leído. Todas las reseñas se expondrán en el mural de la escuela durante la visita de la inspectora.

—¿Qué clase de libro debemos elegir? —preguntó Adán.

—Traten de elegir alguno que los transporte a otro mundo —sugirió el Sr. Beaker—. A mí me encanta leer, y mis libros favoritos son aquellos en los que la historia cobra vida. Los personajes deben parecer tan reales como tu mejor amigo.

Los chicos comenzaron a caminar por la biblioteca, buscando en los estantes.

—¡No tengan miedo! —continuó el profesor—. Podría ser interesante escoger un género que no sea el que suelen leer. ¡Déjense sorprender!

Se escuchó un fuerte ruido, y Amina y Ellie saltaron del susto frente al estante donde estaban buscando. Tres libros muy pesados casi les caen en la cabeza.

—Por favor, sean más cuidadosas —dijo el Sr. Beaker.

—Pero esos libros se cayeron solos —gritó Ellie—. Nosotras ni los tocamos.

—Sr. Beaker, este libro está pegado —dijo Adán, que estaba buscando un libro de misterio—. No lo puedo abrir.

Raquel había elegido un libro titulado *La princesa en la torre*. Pero cuando lo abrió, ninguna de las oraciones tenía sentido. Parpadeó un par de veces, creyendo que sus ojos le jugaban una mala pasada. Pero no, algo raro sucedía.

—Todo está al revés —le susurró Raquel a Cristina—. Escucha cómo empieza la historia: "Siempre por feliz fue Rosa princesa la". Los libros están mal... y creo que sé por qué.

Cristina sabía exactamente lo que su mejor amiga estaba pensando. ¡Todo era culpa de los duendes de Jack Escarcha!

El primer día de clases las chicas conocieron a Marisa, el hada de ciencias, que las había llevado al Reino de las Hadas. Allí, las hadas de la escuela les contaron que Jack Escarcha se había robado sus estrellas mágicas. Sin ellas, las clases eran un verdadero desastre.

—Jack Escarcha está causando muchos problemas —dijo Cristina en voz baja—.

Ya recuperamos las estrellas mágicas de Marisa, el hada de ciencias, y la de Alison, el hada de arte... pero tenemos que encontrar las dos que faltan para que todo salga perfecto el día de la visita real.

La reina Titania y el rey Oberón tenían planes de visitar la escuela en el Reino de las Hadas, pero sin las estrellas mágicas, la visita real sería una catástrofe. Y eso no era todo, las escuelas en el mundo de los humanos serían también un caos.

Jack Escarcha había utilizado las estrellas mágicas para fundar una escuela para duendes donde impartía clases sobre sí mismo. ¡Creía que era el único tema interesante que valía la pena aprender! Pero cuando expulsó a dos de sus estudiantes por mala conducta, estos se robaron las estrellas mágicas y se las llevaron al mundo de los humanos. ¡Y ahora esos duendes estaban en la escuela de Raquel y Cristina!

El extraño visitante

Cristina y Raquel se dieron cuenta muy pronto de que los dos nuevos estudiantes de su salón no eran unos chicos cualquiera. Quizás podían engañar al Sr. Beaker y al resto del salón, pero no a ellas, que conocían tan bien a los duendes.

—Debemos encontrar a los duendes y ver qué están haciendo —susurró Raquel.

Su amiga estuvo de acuerdo. El Sr. Beaker estaba demasiado ocupado intentando abrir el libro de Adán. Las chicas caminaron hasta el fondo de la biblioteca, donde las luces eran más tenues y estaban los libros que a casi nadie le interesaban. Muy pocos estudiantes visitaban esa sección. Sin embargo, las chicas escucharon unas voces chillonas que venían de allí.

—Los duendes —dijeron al unísono.

Se asomaron por detrás de un enorme estante

y vieron a los
dos duendes
sentados en
el suelo con
las piernas
cruzadas.
Cada uno
sostenía un
libro y lo leía en voz
alta. A ninguno de los dos
le preocupaba que el otro
no lo estuviera escuchando.

—Había una vez un duende
gruñón al que le gustaba comer príncipes
y princesas —leía uno—. Pero como no
había suficientes príncipes y princesas para
saciar su apetito, decidió irse de viaje con
su mejor amigo, un apuesto duende.

—Maribel, Marisol y Marilú eran tres

hermanas —leía el otro—. Eran humanas, así que, por supuesto, eran irritantes y espantosas. Un día, un pequeño duende feliz estaba robando algunas manzanas cuando las tontas hermanas decidieron detenerlo.

—Les encanta el sonido de su propia voz, ¿verdad? —dijo Raquel.

—Eso parece —respondió Cristina—, y me da la impresión de que esas historias están un poco cambiadas, no creo que sean así.

En ese momento, las chicas oyeron pasos y se voltearon. Era el Sr. Beaker, que se había detenido al verlas y al escuchar las voces chillonas. Raquel y Cristina pensaron que regañaría a los duendes, pero el profesor se limitó a sonreír.

—Me alegra que al menos alguien esté disfrutando de la lectura —dijo—. No sé qué está pasando, pero hoy ha sido un día complicado con los libros.

—¿Quiere que les pidamos que lean en voz baja? —le preguntó Cristina al profesor.

El Sr. Beaker negó con la cabeza.

—Es agradable oír que leen con entusiasmo —dijo—. No me molesta el ruido.

Mientras se alejaba, las chicas se miraron sorprendidas.

—Al menos los duendes no están causando ningún problema —dijo Raquel—. ¡Por ahora!

—Pero mira aquel estante —dijo Cristina, señalando hacia una esquina.

Uno de los estantes parecía brillar con una luz tenue. Las chicas corrieron hacia allí.

—La luz parece salir de uno de los libros —dijo Raquel—. Parecen destellos de hadas.

Buscaron entre los libros hasta que encontraron uno que irradiaba luz dorada.

—Debe de ser este —dijo Raquel tomándolo del estante.

Al abrirlo, ¡salió volando Lidia, el hada de lectura!

Su cabello negro estaba atado en una gruesa trenza, y llevaba un *short* floreado con un suéter rosado.

—¡Hola, Raquel! ¡Hola, Cristina!

—saludó Lidia—. La reina Titania me dijo que estaban en la biblioteca, y pensé que era el momento perfecto para pedirles ayuda.

—¿Todavía no has encontrado tu estrella mágica? —preguntó Cristina.

Lidia negó con la cabeza.

—Estoy segura de que debe de estar por aquí —dijo—. Por favor, ¿me ayudan a encontrarla? Los chicos han dejado de disfrutar la lectura, y todo por culpa de esos terribles duendes.

—Por supuesto que te ayudaremos —respondió Raquel—. Lidia, los duendes están allí mismo y nadie nos está mirando. ¿Vamos a pedirles que te devuelvan la estrella mágica?

Lidia asintió.

—Le temo un poco a Jack Escarcha, pero no les tengo ningún miedo a los duendes —dijo—. Hablemos con ellos en este mismo momento.

El hada se escondió en el bolsillo de la chaqueta de Raquel y las chicas caminaron rumbo a los duendes.

Pero antes de llegar, Cristina le tomó el brazo a Raquel.

—¡Mira! —susurró—. ¡Allí, entre esos libros!

En un pequeño espacio entre los libros de un estante, las chicas vieron una capa azul y un sombrero extravagante.

Conteniendo la respiración y caminando de puntillas, se acercaron y se asomaron al hueco. Entonces, se quedaron pasmadas. No podían creer lo que estaban viendo.

¡El mismísimo Jack Escarcha estaba en la escuela!

Un hechizo en versos y una pésima lectura

Jack Escarcha espiaba a los duendes,
que continuaban leyendo en voz alta sin
notar su presencia.

—Los dos duendes, el gruñón y el
apuesto, bajaron en su tabla la montaña
cubierta de nieve —leía casi gritando el
primer duende—. Al mirarlos, todos

se quedaron sin aliento; jamás habían visto semejante habilidad. Eran mejores que los atletas olímpicos y más veloces que las hadas.

—El duende encontró el escondite perfecto para las manzanas —leyó el segundo—. Pero Maribel, Marisol y Marilú lo estaban espiando y llevaron de vuelta las manzanas a la huerta. Por eso, el duende encerró a las hermanas en un castillo de hielo durante cien años para que aprendieran la lección.

—*¡Bu!* —gritó Jack Escarcha, saltando frente a ellos.

Los duendes se levantaron del susto, dejando caer los libros en el suelo. Jack Escarcha comenzó a acercárseles... y ellos retrocedieron hasta quedar acorralados contra un estante de libros.

—Vine a recuperar mi estrella mágica —dijo Jack Escarcha—. Así que, cerebros

de mosquito, más les vale que me la devuelvan, ¡ahora mismo!

Entonces, Jack Escarcha sacó un libro azul de debajo de su capa. Raquel y Cristina podían ver claramente el título del libro porque estaba escrito en letras plateadas: *El fantástico Jack Escarcha: La historia de mi vida.*

—Este es el mejor libro del mundo —afirmó Jack Escarcha—. Quiero que los duendes de mi escuela lo lean, pero ninguno está prestando atención. ¡Y todo es por culpa de ustedes!

El malvado Jack temblaba de la rabia mientras los duendes temblaban de miedo.

—¿Q... queeé po... podemos hacer, S... Su Majestad? —tartamudeó uno. El segundo duende abrió la boca pero no pudo articular ni una palabra. Entonces, le dio por hacer una pequeña reverencia.

—¡Devuélvanme la estrella, tontos! —rugió Jack Escarcha. Temblando, el primer duende metió la mano en su bolsillo y sacó una estrella mágica brillante.

—¡Ahí está!
—dijo Lidia—.
¡Mi estrella!
Pero antes
de que
las chicas
pudieran
reaccionar,
Jack Escarcha les
había arrebatado la estrella a los duendes
y había desaparecido con un relámpago
de luz azul.

—¡Rápido, usa tu magia! —le dijo
Raquel al hada—. Tenemos que atrapar a
Jack Escarcha.

Lidia salió del bolsillo y, revoloteando
frente a las chicas, levantó su varita y
recitó un hechizo.

"Vamos de prisa tras Jack Escarcha
sin detenernos en nuestra marcha.
Aunque llueva o truene volaremos
hasta que la estrella recuperemos".

Un torbellino de polvo mágico rodeó
a las chicas, revistiéndolas de magia.
Raquel y Cristina cerraron los ojos
y un cosquilleo les recorrió la espalda
hasta que
aparecieron
dos pares de
delicadas
alitas.

Entonces,
escucharon
el tintineo de
unas campanas

y sintieron una ráfaga de aire helado. Cuando abrieron los ojos, ya estaban dentro de un edificio muy diferente a la biblioteca.

De los estantes colgaban carámbanos de hielo y había restos de granizo sobre la alfombra raída. Pero lo más curioso era que todos los libros eran exactamente el mismo. Fila tras fila, había miles de copias de un único ejemplar de color azul con el título escrito en letras plateadas: *El fantástico Jack Escarcha: La historia de mi vida.* ¡Estaban en la biblioteca del palacio de hielo de Jack Escarcha!

Las chicas y Lidia estaban entre dos hileras de estantes. Antes de decir una palabra, vieron a Jack Escarcha dando zancadas al otro lado de la biblioteca y a muchos duendes sentados en la alfombra frente a él.

—¡Escondámonos! —dijo Cristina.

Las chicas volaron hasta lo alto de un estante al final del salón, cerca de la puerta.

—Jack Escarcha dijo que los duendes no estaban prestando atención —susurró

Raquel—, pero me parece que todos se están portando muy bien.

—Es lógico —dijo Lidia muy seria—. Miren lo que lleva puesto.

Las chicas se asomaron entre los estantes y vieron la estrella mágica de Lidia brillando en la toga de Jack Escarcha.

—Por eso los duendes se comportan así —dijo Cristina.

Jack abrió su libro y empezó a leer.

—Capítulo uno —comenzó—. Las hadas han sido mi eterno dolor de cabeza, y su ridículo sentido del bien y del mal siempre me ha chocado. Hasta que un día, no soporté más. Y a mi brillante cerebro se le ocurrió un plan fantástico para detenerlas, ¡de una vez por todas!

Jack Escarcha era un pésimo lector.
Ni siquiera entonaba las palabras al
leer. Leía y leía sin cesar. Las chicas
comenzaron a bostezar, pero los duendes
se mantenían atentos, como si fuera la
historia más maravillosa jamás contada.

—Tenemos que detenerlo antes de que
nos quedemos dormidas —dijo Lidia—.
Hay que recuperar mi estrella, pero...
¿cómo?

¡Castigadas!

Raquel miró a su alrededor y vio una campana colgando de la puerta de la biblioteca. Le dio un golpecito a Cristina en el hombro.

—Seguramente esa es la campana que toca Jack Escarcha para anunciar el recreo —dijo—. Tendríamos más oportunidad de quitarle la estrella si los duendes no estuvieran aquí. Pero primero, Cristina y yo debemos parecer duendes.

Lidia alzó la varita.

"Haré invisibles sus alas de hadas,
uno, dos y tres...
¡que en el aire se deshagan!
Que mi conjuro sus rostros remiende
y las convierta en dos feos duendes".

Las chicas sintieron
un terrible cosquilleo
mientras sus cuerpos
cambiaban y
sus ropas eran
reemplazadas
por los
uniformes
verdes de los
duendes. Las
narices y las orejas

les crecieron puntiagudas y su pelo prácticamente desapareció.

—¡Ay, Raquel, te ves horrible! —dijo Cristina soltando una risita.

—¿Y tú? —respondió Raquel—. Por suerte, será por poco tiempo.

Las chicas se dirigieron a la puerta de la biblioteca, con la esperanza de que Jack Escarcha no las viera. El muy malvado estaba entretenido leyendo sobre sí mismo. Podían oír su voz cada vez más cerca.

—Fue entonces cuando mi generosidad me permitió dejar que algunos duendes fueran mis sirvientes —leyó Jack Escarcha—. Visité el pueblo de los duendes y elegí a los menos tontos y feos de todos. Y ellos me besaron las manos en señal de agradecimiento.

—Definitivamente, es la peor historia

que he escuchado en toda mi vida —dijo Raquel.

La chica se acercó a la puerta y tocó la campana lo más fuerte que pudo. Jack Escarcha saltó sorprendido y paró de leer. Los duendes se pusieron de pie y huyeron en estampida hacia la puerta de la biblioteca.

—¡Déjenme salir! —dijo uno de ellos.

—Sáquenme de este martirio —gritó otro.

—No podía parar de escuchar —chilló un tercero—. Algo me obligaba a portarme bien. Era como si estuviera hipnotizado.

Los duendes se empujaban unos a otros tratando de salir por la puerta. Raquel y Cristina se quitaron de su camino pero, en la confusión, fueron en la dirección equivocada...

¡y cayeron directamente en las garras de Jack Escarcha!

Jack Escarcha le pellizcó una oreja a Cristina y luego le hizo lo mismo a Raquel.

—¡Fueron ustedes! —dijo molesto—. Sonaron la campana del recreo antes de tiempo. ¡Ustedes interrumpieron la sorprendente historia de mi vida y por eso merecen un castigo!

—Lo sentimos mucho —dijo Cristina, tratando de lloriquear como un duende—. ¡Por favor, no nos castigue!

Pero Jack Escarcha estaba furioso.

—¡No van a salir al recreo! —sentenció—. Se van a sentar en mi oficina a trabajar. ¡Arriba!

Raquel y Cristina se miraron esperanzadas. ¡Quizás esta era su oportunidad de recuperar la estrella mágica de Lidia!

Arrastrando a las chicas por las orejas, Jack Escarcha salió de la biblioteca por un pasillo oscuro y húmedo que llevaba a

su oficina. En la puerta había un cartel de metal.

Jack Escarcha
Director y Genio

Raquel volteó un poco la cabeza y, en medio de las sombras, vio a Lidia revoloteando detrás. Jack Escarcha abrió la puerta de su oficina de una patada y empujó a las chicas hacia el interior. Luego caminó hasta su escritorio y se sentó.

Lidia tuvo el tiempo
justo para colarse
en la oficina
antes de que la
puerta se cerrara
de golpe. Cristina
la vio esconderse
detrás de una
maceta donde estaba
sembrado un cactus gigante.

—Ahora van a aprender que cuando
yo hablo, ustedes tienen que escuchar
—dijo Jack Escarcha, tamborileando
sus larguísimos dedos en el escritorio—.
Como no estaban prestando atención
en clase, ahora quiero que cada una
escriba una cuartilla explicando por qué
*El fantástico Jack Escarcha: La historia de mi
vida* es el mejor libro del mundo.

—¡Oh, gracias, Su Majestad! —exclamó Cristina.

Raquel la miró sorprendida.

—Es un castigo maravilloso —continuó Cristina—. Podría hablar durante días sobre su libro. ¡Qué emoción! Usted tiene que ser muy inteligente para haber podido relatar algo tan interesante.

Una sonrisa se asomó en la boca torcida de Jack Escarcha y enseguida Raquel comprendió el comportamiento de su amiga. Si lograban distraer a Jack Escarcha, Lidia podría desprender la estrella mágica de su toga.

Una historia aburrida

—Su vida debe de haber sido muy interesante —dijo Raquel—. No veo la hora de terminar la lectura de tan espectacular libro.

—Soy superdotado por naturaleza —dijo Jack Escarcha, acariciándose su barba puntiaguda.

—¿Podría autografiarnos algunos

ejemplares? —preguntó Cristina, juntando las manos.

—Bueno, si ustedes insisten —dijo Jack Escarcha.

El muy malvado hasta sonaba gentil. Sobre su escritorio había una gran pila de sus libros. Tomó uno y comenzó a firmar su nombre con una pluma estilográfica. Lidia se abalanzó, pasó por debajo de su brazo y empezó a desabrochar la estrella mágica de la toga. Pero justo cuando

Jack Escarcha terminó de firmar el segundo libro, la pluma salpicó una gota de tinta sobre su toga. Jack Escarcha bajó la vista y descubrió a Lidia tratando de recuperar su estrella mágica.

—¿QUÉ HACE UN HADA EN MI OFICINA? —aulló—. ¿Cómo te atreves a venir aquí? ¡Te voy a castigar! Estarás haciendo tarea durante un año entero y te haré exámenes todos los días. ¡VEN AQUÍ!

Intentó atrapar a Lidia, pero la pequeña hada se alejó volando y escapó por una ventana. Jack Escarcha saltó detrás de ella mientras su larga capa ondeaba tras él.

—Se dirigen al patio del recreo —exclamó Raquel—. Vamos, tenemos que detenerlo antes de que capture a Lidia.

Las chicas también salieron por la ventana. Jack Escarcha seguía persiguiendo a Lidia, pero estaba tan fuera de forma que jadeaba. Raquel y Cristina llegaron al patio y chocaron con varios duendes que jugaban allí.

—¡Cuidado! —gritaron los duendes rudamente.

Las chicas se sintieron tentadas a pedirles disculpas, pero sabían que un verdadero duende jamás sería educado. En cambio, les sacaron la lengua, y ellos hicieron lo mismo.

—¡AY! —chilló un duende alto y delgado.

Otro, rollizo y lleno de verrugas, se había dado en el pie. Mientras saltaba, sujetándose el pie y quejándose, tropezó con otro duende que saltaba una cuerda. Los dos duendes aterrizaron en el suelo, enredados con la cuerda.

—¿Qué haces? —se chillaban el uno al otro.

Raquel tomó el brazo de Cristina.

—Esos duendes torpes acaban de darme una idea —dijo—. Tal vez nuestros pies grandes también puedan tropezar con Jack Escarcha.

—¡Vamos a intentarlo! —respondió Cristina entusiasmada.

Las chicas corrieron tras Jack Escarcha, que seguía dando vueltas por el patio persiguiendo a la pequeña hada. Lidia volaba en zigzag de un lado a otro. Les fue difícil acercarse a ellos, pero al fin Raquel y Cristina estuvieron lo suficientemente cerca.

—En sus marcas... listas... ¡A SALTAR! —gritó Raquel.

Las chicas saltaron y, con sus enormes pies, pisaron el dobladillo de la larga capa

azul de Jack Escarcha.
La capa se
trabó, Jack se
tambaleó
hacia
un lado,
perdió el
equilibrio
y cayó
en una
caja de arena
cubierta de nieve.

En ese momento, Lidia descendió y
recuperó la estrella mágica antes de que
Jack lograra ponerse de pie.

—¡Devuélvemela! —gritó Jack Escarcha,
dando pisotones y agitando los puños
en el aire—. ¡Hada impertinente!
¡Devuélveme mi estrella!

—Esa estrella es mía —dijo Lidia dulcemente—. Y ahora que la he recuperado, gracias a mis amigas, todos los chicos podrán disfrutar nuevamente de la lectura.

Mientras el hada hablaba, los uniformes verdes de Raquel y Cristina se fueron desvaneciendo, y poco a poco las chicas levantaron el vuelo hasta unirse a Lidia. Cuando Jack Escarcha se dio cuenta de que lo habían engañado, se puso de un extraño color púrpura, recogió su capa y se fue.

Un segundo después, se escuchó la campana que indicaba el fin del recreo.

—Todos entrando... ¡AHORA! —gritó Jack Escarcha—. Si yo no puedo divertirme, ustedes tampoco.

Los duendes protestaron y siguieron jugando. Ninguno quería volver a escuchar la aburrida historia de Jack Escarcha. Pero el profesor se fue encolerizando cada vez más, y a los duendes no les quedó más remedio que entrar a regañadientes a la escuela. Lidia, Cristina y Raquel revoloteaban en el aire alegremente.

—¿Llevamos la estrella mágica de regreso a la escuela de las hadas? —preguntó Cristina al ver desaparecer al último duende.

—Está bien... —dijo Lidia—. Puede sonar tonto, pero en realidad siento un poco de pena por Jack Escarcha. Después de todo, se tomó la molestia de escribir un libro, y ahora nadie quiere leerlo.

Las chicas comprendieron lo que quería decir el hada.

—Quizás podamos hacer algo para ayudarlo —dijo Raquel—. ¿Quieren regresar a la biblioteca?

Lidia y Cristina asintieron, y las tres volaron a la escuela de los duendes. Un terrible ruido salía de la biblioteca. Los duendes chillaban, gritaban y barritaban como una manada de elefantes.

Jack Escarcha estaba sentado en su escritorio, con la cabeza entre las manos. Lidia miró a su alrededor y cruzó los brazos.

—El problema es que están aburridos —dijo—. ¿Qué utilidad pueden verle a una biblioteca, si todos los libros son iguales? ¡Tengo una idea!

Lidia les sonrió a Cristina y Raquel. Sus ojos brillaban tanto como su estrella mágica.

La biblioteca de los duendes

Lidia voló hasta el techo, agitó su varita mágica formando un amplio círculo y, mientras recitaba un hechizo, una lluvia de polvo mágico comenzó a caer sobre los estantes de la biblioteca.

"Transforma en biblioteca a este lugar con libros mágicos para soñar.
Libros que te mantendrán en vilo

y compartirás con tus amigos.
Bellas princesas y viejas brujas,
héroes y peligrosas aventuras.
Lecturas que te provoquen reír,
historias que te animen a vivir.
Relatos que rompan tu corazón,
y despierten los sentidos y la pasión.
Poesía, teatro y novelas.
¡Llénense estos estantes de ellas!"

Entretanto, las infinitas copias de *El fantástico Jack Escarcha: La historia de mi vida* se iban transformando en una colorida selección de libros de todas las formas y tamaños. En cuanto los duendes notaron el cambio, comenzaron a murmurar. Jack Escarcha levantó la vista y pegó un grito al ver que los ejemplares de su libro desaparecían.

Raquel y Cristina volaron hasta su escritorio y aterrizaron frente a él.

—¿Y ahora qué quieren? —preguntó Jack Escarcha.

—Nos gustaría llevarnos los libros que usted nos autografió —dijo Raquel, tratando de que no le temblara la voz.

Jack Escarcha abrió la boca sorprendido. Se les quedó mirando por un momento. Luego se levantó y fue corriendo a buscar los libros. Durante su ausencia, los duendes se fueron calmando. Uno por uno, iban

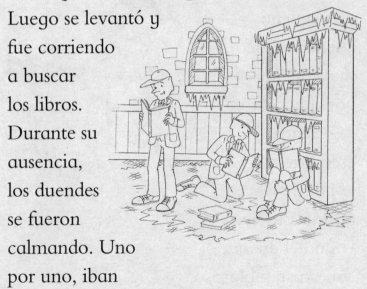

descubriendo libros interesantes y se ponían
a leerlos. Cuando Jack Escarcha regresó, en
la biblioteca reinaba una paz impresionante.

—Aquí los tienen —dijo Jack Escarcha,
y les lanzó los ejemplares de su libro a
Raquel y a Cristina.

¡Pero no parecía tan enojado como de
costumbre!

En ese momento,
un pequeño
duende lo tocó
suavemente
por el hombro.

—Señor,
creo que
le podría
gustar este libro
—dijo el duende
con voz temblorosa,

alcanzándole una copia de *La Reina de las Nieves*.

Jack Escarcha agarró el libro y leyó la contraportada.

—¡Ajá! —exclamó—. ¡Este es el tipo de realeza que me gusta a mí!

Se sentó y empezó a leer.

Lidia aterrizó junto a Raquel y Cristina.

—¡Han hecho algo increíble! —dijo—. Gracias de todo corazón. Pero ya es hora de regresar a casa.

Las chicas se despidieron con un beso antes de que un torbellino de polvo mágico las levantara en el aire. Parpadearon y... ¡ya estaban de vuelta en su salón en la escuela de Tippington!

Todos los estudiantes estaban concentrados, resumiendo los libros que habían escogido. Cristina y Raquel miraron el que tenían frente a ellas y sonrieron. Era una copia de *El fantástico Jack Escarcha: La historia de mi vida.*

—¡Creo que debemos escribir nuestra reseña! —susurró Raquel.

Al poco rato, oyeron al Sr. Beaker aclararse la garganta.

—Muy bien —dijo el profesor—. Me gustaría escuchar lo que han escrito. Comencemos con Raquel Walker.

Raquel y Cristina se pusieron de pie a la vez.

—Nosotras elegimos el mismo libro —explicó Raquel—. Su protagonista se  llama Jack Escarcha. Me gustó el libro porque el personaje principal se la pasa intentando asustar a los demás, pero a veces es muy divertido sin siquiera saberlo.

—A mí me gusta la manera en que todos los personajes cobran vida en la historia —agregó Cristina—. Está tan bien narrada que casi podrías creer que el Reino de las Hadas realmente existe.

Raquel le dirigió una sonrisa cómplice a su mejor amiga.

—Bueno, suena muy interesante —dijo el Sr. Beaker—. Nunca antes había oído hablar de ese libro, pero siento ganas de leerlo. Creo que la inspectora va a quedar muy impresionada con su reseña.

Cristina y Raquel se sentaron mientras Adán comenzaba a leer su reseña.

—Con tanta agitación hasta había olvidado la visita de la inspectora —susurró Raquel—. Espero que podamos

encontrar la última estrella mágica o la
visita va a ser un verdadero desastre.

Cristina asintió con una sonrisa.

—¿Sabes qué? —dijo—. No tienes de
qué preocuparte. Todas las historias de
hadas siempre tienen un final feliz.

Es hora de que Raquel y
Cristina ayuden a

Katia,
el hada de gimnasia

Lee un pequeño avance del
siguiente libro...

La inspectora

—No puedo creer que mañana sea nuestro último día juntas —dijo Cristina Tate—. Ha sido una semana maravillosa... ¡y quisiera que nunca se acabara!

Raquel Walker le apretó la mano. Estaba sentada junto a su amiga en el auditorio. Las dos habían adorado cada momento de esa semana. La escuela de Cristina se había inundado y, por eso, ella había empezado el curso en Tippington, la escuela de Raquel.

—Qué bueno que tu escuela reabrirá la próxima semana, ¡pero te voy a extrañar mucho! —dijo Raquel.

Las chicas estaban sentadas junto al resto de la clase del Sr. Beaker, esperando la asamblea de la tarde. La Srta. Patel, la directora, dio unas palmadas y todo el mundo hizo silencio.

—Buenas tardes —dijo—. Ojalá hayan pasado una excelente mañana y aguarden con entusiasmo las clases de la tarde.

—Sí, Srta. Patel —respondieron los estudiantes.

—Algunos de ustedes ya conocen a nuestra inspectora escolar, la Sra. Best —continuó la Srta. Patel—. Ella inspeccionará la escuela hoy y mañana.

Una señora con un portapapeles se unió a la Srta. Patel en el escenario del auditorio, y todos aplaudieron.

—Espero que le muestren lo maravillosa que es nuestra escuela —dijo la directora.

Justo en ese momento, Raquel y Cristina oyeron cuchichear cerca de ellas. Voltearon a mirar y vieron a dos chicos de uniformes verdes riéndose y diciéndose secretos. Las chicas se miraron preocupadas. Sabían que eran duendes disfrazados.

La directora hizo algunos anuncios y mandó a los estudiantes de vuelta a sus salones.

—Mira —susurró Cristina, mirando por encima del hombro—. La Sra. Best viene detrás.

Raquel se volteó discretamente y vio a la inspectora a unos pasos de ellas.

—Parece que visitará nuestra clase de gimnasia —dijo.

—Espero que los duendes se comporten —murmuró Cristina—. Si hacen de las suyas, sería horrible para la escuela.

Algo nerviosas, las chicas se pusieron sus *shorts*, camisetas y tenis. Luego trotaron al campo con sus amigos Adán y Amina y el resto de la clase. La Sra. Best ya estaba allí con su portapapeles. El Sr. Beaker estaba a su lado y las chicas lo vieron echándole un vistazo al portapapeles.

—Espero que esta clase salga bien —dijo Raquel cruzando los dedos—. Pobre profesor, se ve preocupado.

Los duendes iban al final del grupo, molestando. Se habían negado a ponerse la ropa de gimnasia, tal y como lo habían hecho con el uniforme de la escuela.

Mientras los demás estudiantes lucían sus uniformes azul marino y blanco, ellos usaban *shorts* y camisetas verdes, desaliñadas y sucias, y gorras de béisbol para ocultar el rostro. Cristina vio a la inspectora escribir algo en el portapapeles, y el corazón le dio un vuelco.

—Buenas tardes a todos —dijo el Sr. Beaker, hablando en un tono más entusiasta que de costumbre—. Hoy vamos a hacer una carrera de relevos con obstáculos, por lo que me gustaría que formaran equipos de cuatro, por favor.

—¿Quieren estar en el nuestro? —preguntó Raquel a Adán y a Amina.

Ellos asintieron inmediatamente. Como no había suficientes chicos para hacer cuartetos, el Sr. Beaker pidió a los duendes que formaran un equipo de dos.

Todos avanzaron hacia el campo. ¡Parecía que les esperaba algo muy divertido! Había todo tipo de obstáculos: bolsas de frijoles, pelotas y conos de diferentes colores para cada equipo.

—Decidan entre ustedes el orden en que saldrán —explicó el profesor—. La primera persona tiene que llevar una bolsa de frijoles en la cabeza y zigzaguear por la línea de conos. La segunda debe meter una pelota de baloncesto en el aro. La tercera tiene que saltar la cuerda veinte veces y la última terminará la carrera de relevos arrastrándose debajo de una red hasta llegar a la meta. Cada persona del equipo que termine su parte debe tocar a la que le sigue para que pueda arrancar. ¿Entendieron?

Raquel y Cristina asintieron emocionadas. ¡Estaban locas por empezar!